El Cristo de los Milagros

Yiye Avila

Publicado por
Editorial **Unilit**
Miami, Fl. U.S.A
Derechos reservados

Primera edición 1990

Derechos de autor © Yiye Avila
Todos los derechos reservados. Este libro
o porciones no puede ser reproducido sin
el permiso de los editores.

Citas Bíblicas tomadas de Reina Valera,
(RV) revisión 1960
© Sociedades Bíblicas Unidas
Usada con permiso

Cubierta diseñada por: **Ximena Urra**

Las opiniones expresadas por el autor de este libro
no reflejan necesariamente la opinión de esta
Editorial.

Producto 550041
ISBN 0-7899-0073-4
Impreso en Colombia
Printed in Colombia

Contenido

DEDICACIÓN

Dedico este libro a mi Señor Jesús.
Al amigo que ha entrado en mi vida
y la ha transformado.
Al Señor mi Dios que me ha salvado.
Al Cristo del amor y la misericordia
que sin fijarse en mi pequeñez me extendió su mano
cuando a Él me allegué casi extenuado.
Glorifico su nombre poderoso
y le doy gracias porque me ha traído paz,
salud y vida en abundancia.

INTRODUCCIÓN

*E*ste libro trae las experiencias sobrenaturales que Dios nos dio en los primeros años de este ministerio. Así como estas gloriosas manifestaciones de Dios nos avivaron la fe para seguir adelante en Su obra, así también estamos seguros que serán de grande bendición al lector para confirmarle la realidad del CRISTO DE LOS MILAGROS en estos últimos días de esta edad del cristianismo. Le aseguramos que va a sentir la bendición del Espíritu Santo y va a ser edificado en forma muy especial.

El libro tiene también alrededor de veinte estudios bíblicos incluyendo temas tan decisivos, como el alma, la muerte, el infierno, el ayuno, el bautismo del Espíritu Santo, la Venida del Señor, y otros.

Es decisivo que en días tan postreros y peligrosos seamos conocedores de la Palabra de Dios para dar testimonio de ella y para vivirla. Si andamos en esa luz, y damos testimonio de ella estaremos preparados para volar en el Rapto y escapar de la Gran Tribulación.

Oramos para que este libro sea de bendición gigante para su vida espiritual en este TIEMPO DEL FIN. Amén.

Capítulo 1

LLAMADO DE DIOS

*E*l día 21 de junio de 1962, partimos mi esposa y yo para la vecina República Dominicana. No íbamos en gira turística ni por voluntad propia, sino enviados por el Señor Jesucristo a predicar Su Palabra, a llevar el Pan de Vida, la buena nueva del Evangelio de la gracia a las almas perdidas.

Muchos meses antes el Señor me había hablado del viaje. Una tarde mientras oraba escuché en forma audible y clara las palabras "Santo Domingo". Luego Él le confirmó a mi esposa en revelación.

A mediados de junio aconteció que al finalizar una campaña en Puerto Rico en Caparra Terrace, el pastor de la iglesia, Reverendo Francisco Astacio, me dijo: "Hermano, yo siento llevarlo a Santo Domingo a predicar la Palabra de Dios". ¡Profundos e insondables son Sus caminos!

Llegamos a la capital dominicana y empezamos esa misma noche la primera campaña con la Iglesia de la Cruzada Evangélica y Misionera que pastoreaba el doctor Reverendo Daniel Pérez.

Esa misma tarde el Señor nos concedió la primera gran bendición al permitir una entrevista en la redacción del periódico "El Caribe" que nos dio una publicidad muy saludable para la obra de Dios.

En este preciso momento en que apenas he comenzado a escribir esta reseña por dirección de mi Señor, su presencia preciosa y Santa ha llenado toda la habitación y he tenido que dejar de escribir para alabar Su Nombre. ¡Aleluya! Es el sello inconfundible de su aprobación. Hay lágrimas en mis ojos porque ante Su presencia tiembla la tierra y lloran los hombres como si fueran niños.

Tuvimos la primera campaña en la Iglesia de la Cruzada. En los primeros servicios el Señor empezó a moverse salvando las almas y sanando los enfermos. Vimos desaparecer tumores, brazos artríticos moverse sanos, y ojos miopes ver con claridad. Al final de la campaña en el sector denominado "Los Minas", las bendiciones eran maravillosas. La oración en masa por los enfermos producía sanidades y milagros de nuestro Dios. Los testimonios eran numerosos e increíbles y el Señor era glorificado.

Una señora operada de la cintura, cuya herida no cicatrizaba y que sentía un gran dolor en dicha región, testificó que había sentido sanidad. Al examinarla luego en su hogar encontraron que no había rastros de herida ni de cicatriz. Todo había desaparecido. Una anciana de setenta años, casi ciega, recibió la vista y pocos días después me testificó que ensartaba una aguja y cosía camisas con la misma perfección que en sus años anteriores.

Un fibroma desapareció del vientre de una señora que estaba para operarse y un niño ciego de un ojo vio claramente después de la oración. Estas maravillas dan cumplimiento a las palabras de Jesús en San Marcos 16:17-20:

> *Y estas señales seguirán a los que creyeren: En mi nombre echarán fuera demonios y sobre los enfermos pondrán sus manos y sanarán.*

Él prometió confirmar Su Palabra con señales y milagros de Sanidad Divina. Si hemos sido enviados, Él va con nosotros.

Mirad que yo estoy con vosotros todos los días hasta el fin del mundo.

Mateo 28:20

La segunda campaña empezó en la Iglesia de Dios, Inc. y Dios nos bendijo en forma sobrenatural. Vimos una señora con muletas por siete años llegar al altar y aceptar a Cristo como Su Salvador personal. Así lo exige la Biblia y es el primer paso en el camino angosto de la salvación (Lucas 12:8, Juan 1:12). Después de la oración yo sentía que el Señor la había sanado.

Volví a orar por ella personalmente y le dije: "Camine, Cristo la ha sanado." ¡Gloria a Dios! Soltó su muleta y caminó por toda la Iglesia. Mientras la congregación glorificaba a Dios, ella subió al altar y testificó acerca de los años de sufrimiento que había pasado y su agradecimiento a Dios por la misericordia que había tenido con ella.

Jesús dijo: *"Si el Hijo de Dios os libertare, seréis verdaderamente libres"* (Juan 8:36). El sacrificio de la Cruz del Calvario es una obra terminada. *"Su sangre fue derramada por nuestros pecados"* (Mateo 26:28) *"y por sus llagas nosotros fuimos sanados"* (1 Pedro 2:24). Fue una gran campaña y cientos pasaban al altar pidiendo oración para recibir sanidad para el cuerpo y salvación para el alma.

Manos insensibles volvieron a sentir, cinturas lastimadas se doblaban con flexibilidad, ojos miopes veían claramente y amígdalas infectadas fueron operadas en un instante. ¡Cuán grande es el poder y la misericordia de nuestro Dios! Sólo hay

que buscarlo conforme a Su Palabra y se cumple la Escritura
que dice:

> *El que cree en mí, las obras que yo hago, él
> también las hará.*

Juan 14:12

El Señor nos siguió moviendo por la ciudad y empezamos
campañas con la Iglesia Asambleas de Dios. La bendición fue
abundante y vimos nuevamente los milagros y maravillas de
nuestro Dios. El llamamiento al altar era respondido todas las
noches por cientos de personas. Oímos testimonios de hernias
desaparecidas, casos de bocio simple, de la vista, hepatitis, y
otras dolencias sanadas por el poder de Dios.

Mientras predicábamos en esta campaña tuvimos el testimonio de una niña muda, por la cual habíamos orado días
antes, que ya decía "papá y mamá" para felicidad indescrip-
tible de sus padres. Otra señora nos testificó que un domingo
mientras orábamos por los enfermos a través de una de las
emisoras dominicanas, ella puso sus manos sobre la radio y
al instante un flujo de sangre que hacía tiempo le atormentaba
se detuvo. Ella había gastado todo su dinero en medicinas y
solamente le quedaba una esperanza, CRISTO JESÚS el
Señor. Él cumplió Su Palabra que dice: *"Si algo pedís en mi
nombre, yo lo haré"* (Juan 14:14).

Visité un día el hogar de la misionera, de la Iglesia Pente-
costal de Jesucristo, para hacer arreglos para una campaña.
En su hogar yo sentía la presencia de Dios en forma especial.
Mientras hablábamos entró una joven padeciendo de una
amigdalitis horrible. Al hablar ella de su enfermedad sentí un
toque especial del Espíritu Santo y algo me dijo que mostrara
mis credenciales (Hechos 1:8). Oré por la joven y apenas pude
terminar, porque ella tuvo que correr a vomitar todo lo que

había en su garganta. Al instante desaparecieron todos los síntomas y mi Santo Amigo JESÚS confirmó que Él estaba conmigo. ¡Gloria a Su Nombre!

Por estos días nos vinieron a buscar para campañas en el interior del país. Algunas a cientos de kilómetros de la capital y sentí pedir confirmación del Señor. En la capital teníamos tantos compromisos que algunas noches mientras yo predicaba en una Iglesia, mi esposa predicaba y oraba por los enfermos en otra.

Quise pues, confirmar si era la voluntad de Dios que dejásemos la capital y nos adentrásemos en el interior del país. Dice la Escritura:

Porque todos los que son guiados por el Espíritu de Dios, éstos son Hijos de Dios.

Romanos 8:14

El cristiano tiene que pedir dirección de arriba continuamente o corre el riesgo de ser engañado por Satanás (Efesios 6:12). Esa noche oré al Señor y pedí su confirmación. De pronto sentí algo como una brisa muy fresca que entró al cuarto, levantó el mosquitero y se derramó sobre mí. En aquel momento el Espíritu Santo entró en mi corazón y me confirmó: "SÍ, YO SOY QUIEN TE MANDO".

Pocos días después empezamos campaña en Haina. Este es un pueblo muy pequeño cerca de la capital. Por primera vez predicamos con altoparlantes sobre la Iglesia. Todo el pueblo escuchó los mensajes santos del Evangelio. La campaña fue sobrenatural. Más de cuarenta almas aceptaron a Cristo y todas las noches veíamos milagros y sanidades.

Una noche oramos por una señora que estaba muy lastimada de sus brazos y piernas. Me dijo que ella llevaba cuarenta años en su religión. En su cuello llevaba un medallón de gran tamaño. Después de la oración testificó que todas sus dolencias habían desaparecido excepto la de su costado. Sentí decirle: "Lo que usted lleva en el cuello es abominable a Dios". El mandamiento en Éxodo 20:1, nos prohíbe hacer imágenes o escultura alguna. Añadí: *"El apóstol Pablo nos dice acerca de: No tocar, ni manejar cosa que se destruya con el uso conforme a las doctrinas de los hombres"* (Colosenses 2:20) Me miró muy extrañada, pero sentí decirle: "Si usted le promete al Señor quitarse ese ídolo del cuello y no usarlo jamás oraré de nuevo por usted y Él le desaparecerá esa dolencia ahora mismo". La anciana prometió y oramos otra vez. El Señor cumplió y todo síntoma restante desapareció. La Biblia nos dice que, no es con conferencia de sabiduría humana, sino con demostraciones de poder y del Espíritu que debemos predicar la Palabra, para que la fe de los creyentes sea fundada en el poder de Dios. (1 Corintios 2:4-5)

Otro día trajeron un niño con la boca torcida. Después de la oración en masa su boca estaba tan normal que muchos le examinaban de cerca y glorificaban el Nombre del Señor.

De Haina partimos para Santiago, casi a 200 kilómetros de la capital. La primera noche de la campaña pasaron al altar 21 enfermos y después de la oración escuchamos 21 testimonios de sanidad. *"Y Él envió Su Palabra y todos fueron sanados"*. Sea glorificado el Nombre Santo de Cristo.

En Santiago tuve una de las experiencias más maravillosas que he tenido en el Señor. Me invitaron a predicar en la cárcel de la ciudad. Nunca antes se había predicado el Evangelio en aquella prisión. Llegamos esa tarde a la cárcel y nos introdujeron en un patio en donde nos presentaron a los confinados. Parte el corazón ver aquel grupo de seres humanos de mirada ceñuda, barbudos, mal vestidos, muchos sin camisas y descalzos. No parecía que hubiese en ellos el más mínimo interés de oír sobre un Jesús que les amaba y que había muerto por nuestros pecados.

El joven pastor, Rolando Gómez, empezó a predicarles a Cristo (Hechos 9:20). Algo empezó a moverse en aquel lugar horrible y los hombres se acercaron y nos hicieron rueda. Ese algo yo lo sentí dentro de mí, pues ríos de agua viva se dejaron sentir en mi cuerpo (Juan 7:38-39). Al tomar mi parte les hablé de cómo Cristo me había salvado y de la misericordia que Dios había tenido conmigo. Cuando les conté de las revelaciones que Él me había dado sentí decirles: "Jesús les ama a ustedes y Él está aquí con nosotros para demostrarlo".

Les pregunté si había enfermos y 19 hombres alzaron sus manos. El primero que se acercó, era un cojo con un tobillo horriblemente desfigurado. "Dios va a confirmar Su amor y Su Palabra predicada, sanando todos los enfermos", fueron las palabras que el Espíritu Santo puso en mi boca. Estos hombres hablaron a un Jesús que no veían y le pidieron perdón por sus pecados (Juan 2:1). Oramos por los enfermos y el primero en correr y saltar de alegría fue el que ante había sido cojo (Hechos 3:1-10). Hasta los carceleros estaban atónitos al verlo caminar y lo señalaban sin poder ocultar su admiración.

Todos los enfermos fueron sanados. Lágrimas empezaron a deslizarse por los rostros sufridos. Las miradas ceñudas se tornaron tiernas y algunos nos abrazaron emocionados. Nosotros lloramos con ellos porque los hombres lloran ante la misericordia de un Dios bueno que desea que todos vengan a un arrepentimiento y sean salvos (Hechos 2:38).

Nos despedimos en oración y la comunión era maravillosa. Salimos de aquel lugar y mi corazón se quedaba con aquellos hombres que agitaban sus manos por entre los barrotes mientras gritaban: "Vuelvan pronto". El Cristo que vive los había tocado y se quedaba en sus corazones (Hebreos 13:8). ¡Gloria a Dios!

El último día de campaña en Santiago, predicamos sobre el Espíritu Santo y la necesidad imperiosa que tiene el creyente de recibir la promesa conforme a las Escrituras (Hechos 1:4-8). Pasaron al altar todos los que no tenían aún el bautismo del

Espíritu Santo. Docenas recibieron el poder como en Pente-costés y todos oíamos y veíamos que habían recibido el Espíritu Santo (Hechos 2:33). Es maravilloso poder compro-bar que toda la Palabra es real y verdadera y que podemos vivirla si nos ceñimos a ella guardando todos sus mandamien-tos y preceptos.

En Santiago, el Espíritu Santo me reveló que yo saldría para Puerto Rico en esa semana (Hechos 10:19), y esa misma noche el Señor me dio una revelación y me vi despidiéndome de los hermanos en Santo Domingo y partiendo para mi islita. Sólo nos quedaba una campaña en el pueblo de Moca. Ya me habían hablado que allí no se podía predicar la Palabra con libertad porque tiraban piedras; pero "Si Dios con nosotros, quién contra nosotros".

Al llegar a Moca encontré que nos habían mandado alto-parlantes de la capital. No había apenas empezado el servicio esa primera noche cuando un aguacero implacable de piedras empezó a caer sobre la pequeña Iglesia. En ratos parecía que el techo y las paredes se caerían. Sólo el poder del Señor impedía que los altoparlantes, situados sobre la Iglesia fueran destrozados.

Es trágico decir que este pequeño pueblo posee dos cate-drales Católicas Romanas y tiene fama de ser uno de los pueblos más religiosos de la República. Pero, Jesús dijo: "Los míos se conocerán en que se amarán los unos a los otros", "y el que no tiene amor no tiene a Dios". No es la religión la que puede cambiar al hombre sino Cristo Jesús, el Salvador, quien tiene *"todo el poder en el cielo y sobre la tierra"* (Mateo 28:18).

En las persecuciones e injusticias, Dios se glorifica, y ante aquella situación hostil el Señor empezó a obrar. La primera noche Dios sanó a un joven de un ojo casi ciego y otro sordo de un oído. Las próximas noches no cabía la gente en la Iglesia y todo el pueblo salía a la calle a escuchar la Palabra y ver las obras preciosas de Cristo. Las piedras seguían lloviendo y a veces penetraban en la Iglesia. Muchos amigos católicos no eran partícipes de aquella actitud anticristiana y no ocultaban su desagrado.

La última noche de la campaña, Dios nos tenía reservada la mayor demostración de Su poder. En aquella ocasión trajeron un paralítico que se arrastraba por las aceras con dos cartones. Tenía una pierna paralizada. No podía estirarla y por consiguiente estaba imposibilitado para pararse. A la pierna enferma le faltaba como un pie para llegar al suelo. Al final de la oración le pedí al Señor: "Jesús estírale la pierna". Abrí los ojos y el hombre estaba parado sobre sus dos pies. Lo ayudaron a caminar y al salir a la calle siguió solo. Su voz sonó entonces como la de un trueno: "Ahora yo sé que hay un Dios en el cielo". La gente corría en multitudes detrás de él. Se disipó el tiroteo de piedras y el poder de Dios se impuso sobre los poderes de las tinieblas. El Señor contestaba mis continuas oraciones: "permite predicar Tu Palabra con libertad y extiende Tu mano haciendo milagros en el Nombre de Jesucristo" (Hechos 4:29-30).

Así terminó mi campaña en Moca y el pueblo pudo comprobar que no era Altagracia, sino CRISTO JESÚS el único que puede ser adorado (Lucas 4:8).

Pues debajo del cielo no hay otro nombre por quien podamos ser salvos.

Hechos 4:12

El día 4 de agosto regresamos a Puerto Rico. Nuestras hijas estaban llenas de salud. Cristo las cuidaba. Él prometió:

Serviréis al Señor tu Dios y yo quitaré toda enfermedad de en medio de ti.

Éxodo 23:25

Habían transcurrido 44 días en los cuales predicamos en 10 campañas 51 mensajes. Cientos de almas y de enfermos fueron liberados por el poder de Dios. ¡Aleluya!

Amigo que ha leído estos poderosos y convincentes testimonios, acepte hoy a Cristo como su Salvador personal. Vaya a su habitación, corra el cerrojo y pídale perdón a Dios por sus pecados en el Nombre de Jesucristo (1 Timoteo 2:5). Sólo en Él hay perdón de pecados (1 Juan 4:10). Nadie más puede perdonarle (Hebreos 10:11-12).

Sienta tristeza en su corazón y llore delante de Él. Va a sentir en su corazón la paz y el perdón que sólo viene de Cristo el Señor. Únase a una Iglesia donde pueda recibir la PROMESA DEL ESPIRITU SANTO. Una que le predique que: "SU SANGRE nos limpia de todo pecado y que por SUS LLAGAS fuimos sanados" (1 Pedro 2:24). Persevere en Él guardando SU PALABRA, (Juan 14:21) y gane almas para Su Reino (Marcos 16:15).

Y Jesús dijo:

> *Todas las cosas me fueron entregadas por el Padre.*

Mateo 11:27

> *Venid a mí todos los que estáis trabajados y cargados y yo os haré descansar.*

Mateo 11:28

Capítulo 2

REGRESO A LA REPÚBLICA DOMINICANA

*E*l día 29 de junio de 1963, volví a la República Dominicana. Era la segunda vez que iba a ese país a predicar a Cristo Jesús, nuestro Salvador.

Semanas antes el Señor me había hablado y me mostró que predicaría una campaña al aire libre con todas las Iglesias unidas del pueblo de Haina. Al llegar a Haina empezamos inmediatamente a organizar la campaña. Los pastores, Reverendo Jimiro Feliciano, de las Asambleas de Dios, Reverendo Félix Valoy, de la Iglesia de Dios, Inc., y el Reverendo Flavio Liburt de la Fe Apostólica, empezaron a trabajar conmigo en tan íntima unión que más bien parecía una sola congregación y no tres Iglesias de diferentes denominaciones. Gloria a Dios, que bien claro dijo Jesús:

> *Para que todos sean uno; como tú, oh Padre, en mí, y yo en ti, que también ellos sean uno en nosotros; para que el mundo crea que tú me enviaste.*

> Juan 17:21

Una de las obras más astutas del diablo ha sido la de traer separación, contiendas y celos entre los hijos de Dios (Gálatas 5:19:21).

Mientras organizábamos la campaña, sentí pedir la dirección del Señor sobre la fecha de empezar la misma. Muy de madrugada me despertó el Señor y vi un círculo brillante semejante a un espejo. En su interior estaba escrita la fecha de comenzar, y efectivamente el día 4 de julio empezamos la campaña conforme me reveló el Señor (Hechos 2:17).

La misma primera noche, Dios empezó a salvar almas y hacer milagros de sanidad divina. Aquella noche aceptó a Cristo una señora que había sido Testigo de Jehová. Al otro día me visitó para testificarme que ella había recibido la oración de fe por sus niñas que estaban enfermas en su hogar y que al regresar de la campaña las encontró sanas. Nos dijo que los Testigos de Jehová le habían enseñado que la Sanidad Divina era una mentira. Le abrí la Biblia en Santiago 5:14 y le leí: *"La oración de fe sanará al enfermo y el Señor lo levantará"*. Eso había confirmado Jesús con sus hijas y estaba dispuesto a hacerlo con todo el que cree. Luego ella añadió: "Ellos también me dijeron que no había tal Espíritu Santo". Abrimos la Biblia nuevamente en Juan 7:37-39 y le mostramos que Jesús prometió darnos SU ESPÍRITU a los creyentes de Su PALABRA y que al recibirlo sentiríamos el Poder en forma de corrientes. RÍOS DE AGUA VIVA, entrarían en nuestros cuerpos y correrían por nuestro interior. Oramos entonces a Dios. Durante la oración sentí poner las manos sobre ella y reclamar al Señor que confirmara Su Palabra. De pronto el Espíritu descendió sobre ella y la lanzó de rodillas. Mientras todo su cuerpo temblaba, de su boca salían múltiples alabanzas y gruesas lágrimas de arrepentimiento corrían por su rostro. Jesús le confirmaba que ella era salva y que la promesa del ESPÍRITU SANTO es algo real y para ser recibido por todo aquel que se arrepiente y cree en CRISTO conforme a las Escrituras.

El Señor también le mostraba que los Testigos de Jehová le habían predicado mentiras. No tenemos que extrañarnos de esto, pues está profetizado:

Pero el Espíritu dice claramente que en los postreros tiempos algunos apostatarán de la fe, escuchando a espíritus engañadores y a doctrinas de demonios.

1 Timoteo 4:1

Los llamados Testigos de Jehová nos confirman que estamos en los últimos días y que pronto Jesús viene a levantar las primicias de su pueblo (Apocalipsis 3:10 y 14:4) (1 Corintios 15:23).

No importa a qué religión usted pertenezca, también tiene que buscar y recibir esa experiencia personal con CRISTO JESÚS que le confirmará que está en el verdadero camino del Señor (Mateo 3:11 y 1 de Juan 4:13).

La segunda noche de campaña vimos otra señora recibir a Cristo como Su Salvador y pedir la oración por un niño que tenía en un hospital, próximo a ser operado. Después de la oración, el Espíritu Santo me reveló que el niño estaba sano y que podía ir a buscarlo. Así mismo se lo comuniqué a ella delante de toda la gente allí congregada. Al otro día ella regresó llena de gozo y testificó a todo el mundo que su niñito no tenía ya que ser operado y que en el hospital no podían explicarse qué había pasado. Ella les explicó que en una campaña evangélica habían orado y que el SEÑOR JESU-CRISTO lo había sanado. Bien claro lo dijo Él: "que Su Palabra sería confirmada con señales y milagros que seguirían a la misma" (Mateo 28:20).

Mientras la campaña continuaba al aire libre empezamos a celebrar todas las tardes servicios de oración en las diferentes Iglesias. Dios derramaba Su Espíritu en forma preciosa y niños, adultos y ancianos recibían el Bautismo del Espíritu Santo.

Algunos que lo habían buscado por muchos años lo recibieron y hablaron en otras lenguas (Hechos 2:3, 10:44-46).

Es maravilloso conocer la grandeza de Dios. Para vivirla hay que adorarlo a Él en Espíritu y en Verdad y guardar toda Su Palabra (Mateo 7:21). Sólo puede guardar Su Palabra si la escucha y la estudia en la Biblia. Por eso Él ordena que escudriñe las Escrituras, PUES EN ELLA ESTÁ LA VIDA ETERNA (Juan 5:39).

Tarde a tarde el poder seguía derramándose y al terminar la campaña, 46 hermanos, algunos recién convertidos, habían recibido el Espíritu de Dios. Cuando usted recibe ese poder y siente que esas corrientes maravillosas corren por su ser, usted sabe que es salvo, pues CRISTO ha hecho morada en su corazón (Juan 14:23).

El apóstol Pedro dice:

Y Dios que conoce los corazones, les dio testimonio, dándoles el Espíritu Santo.

Hechos 15:3

El Apóstol Pablo dice, *"si alguno no tiene el Espíritu de Cristo, ese tal no es de él"* (Romanos 8:9).

Hermanos, sencillamente es la lluvia de primavera que profetizó Santiago que caería en los postreros días. Lluvia que está madurando la cosecha que pronto parte con Jesús hacia el reino de los cielos.

Y en los últimos días, dice Dios, derramaré mi Espíritu sobre toda carne.

Hechos 2:17

Vivimos en días finales y peligrosos y debemos buscar esa experiencia con el Espíritu. Una vez la recibamos debemos vivirla diariamente para que Él nos transforme y nos prepare para irnos entre los primeros con el Señor (Efesios 5:18). No hay nada más importante para el cristiano que recibir esta experiencia personal con Cristo y seguirla viviendo diariamente.

La campaña siguió y Dios continuó obrando milagros. Una noche recibió a Cristo una joven con un niñito en sus brazos. El niño nunca se había podido parar. Sus pies estaban torcidos y rígidos. Oramos por aquella criatura y a pesar de que no notamos ningún cambio inmediato, creíamos por la fe que Dios había obrado (Marcos 11:24). La próxima noche ella retornó y varios miembros de su familia recibieron a Cristo (Juan 1:12). Al final del servicio ella nos testificó que el niño había amanecido caminando por primera vez en su vida. Sus piececitos se notaban mucho más flexibles. Toda la familia estaba llena de gozo.

A pesar de las muchas profesiones de fe y los milagros que Dios obraba, la lucha contra el diablo no era fácil. Diariamente había docenas de hermanos en ayuno y oración y visitando los hogares inconversos. En pocos sitios he sentido el peso del maligno como en el pueblo de Haina. Era natural, pues en el pueblo impera la prostitución y el vicio.

Los religiosos tienen sus hogares llenos de imágenes e ídolos hechos por manos de hombres. Por las noches se ven las velas encendidas frente a las estatuas. Esto, en franca violación a la Palabra de Dios que nos dice que no tienen divinidad (Hechos 17:29), y que es un necio el que las hace (Romanos 1:22-25).

Una noche el diablo entró en mi habitación y caminó por ella haciendo mucho ruido. Se olvidó que junto a mí estaba mi mejor AMIGO, CRISTO JESÚS y que: "si Él conmigo, ¿quién contra mí?"

En esos días me visitó mi hermano, el reverendo y doctor, Daniel Pérez Ramírez, pastor de la Cruzada Evangélica en Santo Domingo y médico en el sanatorio para tuberculosos,

Rodolfo Cruz Lora, y me dijo: "Le he conseguido dos días para que le predique a los pacientes en el sanatorio y ore por sus enfermedades". La noticia fue de sumo regocijo para mí, por cuanto desde Puerto Rico yo había estado orando a Dios por esa oportunidad.

Yo conocía la situación en el sanatorio por correspondencia que cursaba con el hermano Alfredo Rivera quien doctrinaba allí a un grupo de cristianos. (Fue sanado en la campaña y luego fue pastor de la Iglesia en ese sanatorio.)

El viernes 26 de julio por la tarde, comenzó lo que creíamos sería una campaña de dos días en el hospital. El doctor Pérez consiguió un local muy grande e instalamos allí altoparlantes. Muchos enfermos estaban reunidos. Al ver sus rostros y sus sonrisas de esperanza sentí la compasión del Espíritu como nunca antes había sentido. Lloré por largo rato mientras oraba de rodillas frente a la tarima de predicación.

El servicio fue maravilloso. Muchos testificaron sanidad, después de la oración de fe, mientras lloraban y glorificaban al Dios bueno del cielo. Cuarenta y ocho almas aceptaron a Cristo. ¡Alabado el nombre de Jesús!

Al otro día volvíamos llenos de confianza a predicar lo que suponía sería el último servicio de la corta campaña. Por la carretera, ya cerca de la institución, se desató un aguacero que apenas se veía el camino. Los truenos se sucedían uno detrás del otro y yo sólo pensaba en los pacientes que tenían que descender de sus pabellones al edificio de la predicación. De pronto sentí la fe del Espíritu invadir mi ser y empecé a reprender el aguacero y a ordenar al viento, en el nombre de Jesús que soplara y se llevara la lluvia. Los hermanos que venían conmigo en el ómnibus me respaldaban continuamente con sus oraciones y sus alabanzas. Al llegar al Sanatorio el viento soplaba en una forma violenta y cargaba con la lluvia a gran velocidad. Poco tiempo después el agua cesaba y franjas azules asomaban en el cielo.

A pesar del milagro, me entristecí al notar que había menos pacientes en el salón y lloré en el altar delante de Dios. De pronto el Espíritu se derramó sobre mí y el Señor me dijo: "Son siete días los que le vas a predicar". A pesar de que yo seguía conduciendo todavía la campaña en Haina por las noches y que mi cuerpo estaba algo cansado, sentí una gran alegría, pues el Señor me había hecho sentir una gran carga por mis hermanos del sanatorio.

Siete días, como reveló el Señor, duró la campaña. Ochenta almas vinieron a Cristo. Numerosas sanidades fueron obradas y el último día de la predicación más de cuarenta personas testificaban haber recibido el Espíritu Santo (Juan 7:38).

Aún desde acá en Puerto Rico sigo orando diariamente por mis hermanos en el sanatorio de Santo Domingo y en las cartas que he recibido de allá me informan que ya varios han dado negativo a los Rayos X y han salido de la institución. ¡GRANDE ES NUESTRO DIOS! (nueve de ellos se fueron sanos.)

Mientras tanto la campaña seguía en Haina todas las noches y el sábado 27 de julio vino a pedir la oración un joven muy humilde. El muchacho era mudo y todos conocían que la única forma de comunicarse era por la letra. Después de orar por los enfermos él empezó a repetir algunas palabras con bastante claridad. Los hermanos alababan al Señor y de pronto, Demetrio Bautista, el que había sido mudo empezó a hablar claramente y en oraciones completas.

El poder de Dios descendió sobre nosotros. Algunos glorificaban a Dios a todo pulmón, otros hablaban en lenguas (Hechos 19:1-6), y todos pudimos comprobar que CRISTO ES EL MISMO AYER, HOY Y POR LOS SIGLOS (Hebreos 13:8). Él estaba allí con nosotros y lo sentíamos (Mateo 11:1-6).

Dos días después Demetrio partió para la ciudad de San Cristóbal donde vivía su mamá enferma. Al verlo su mamá empezó a hablarle por señas creyendo que él aún estaba mudo y cuando el muchacho le dijo: "Bendición, mamá", ella se puso las manos en la cabeza y gritó: "¡Hijo mío!, ¿quién te hizo hablar?" y él le respondió: "Oraron por mí en Haina, un evangelista de Puerto Rico y los hermanos, y el Señor me sanó".

Hoy día, Demetrio Bautista, es miembro de una de las Iglesias Cristianas de Haina y es un testimonio vivo de la grandeza y misericordia de Cristo Jesús (1 Pedro 2:24).

Los últimos tres días, la campaña se movió a las iglesias y tuvimos un servicio donde la manifestación del Espíritu Santo fue sobrenatural.

Inconversos recibieron el Espíritu Santo y se rindieron a Cristo llorando. A altas horas de la noche el Espíritu impedía que terminásemos los cultos de adoración.

Hermanos, es el último gran avivamiento antes de la venida de Cristo. Pronto los primeros se van. Cumplamos nuestras obras delante de Él y no nos quedemos para la Gran Tribulación.

Orando en todo tiempo, guardando la Palabra de su paciencia y llenos del Espíritu Santo podremos obtener el gran premio de Irnos en los primeros (Lucas 21:36, Apocalipsis 3:10, Efesios 5:18), y ser librados de la Gran Tribulación.

Dios llama a sus hijos a consagrarse más a Cristo y a los pecadores a arrepentirse y convertirse a Jesús (Lucas 13:3-5).

Porque no hay salvación en ningún otro, pues debajo del cielo no hay otro nombre dado a los hombres por quien podamos ser salvos.

Hechos 4:12

Amado amigo, arrepiéntase a tiempo. Cuando venga el Señor será tarde, pues Él viene en juicio sobre los que no han creído en Su Palabra. Reciba a Cristo ahora y únase a una iglesia donde sea bautizado en las aguas y donde pueda recibir el don del Espíritu Santo y será salvo (Hechos 2:37).

Cristo está a las puertas, mañana podría ser tarde.

Cuando se manifieste el Señor Jesús desde el cielo con los ángeles de su poder, en llama de fuego, para dar retribución a los que no conocieron a Dios, ni obedecen al evangelio de nuestro Señor Jesucristo; los cuales sufrirán pena de eterna perdición, excluidos de la presencia del Señor y de la gloria de su poder.

2 Tesalonicenses 1:7-9

Mas a todos los que le recibieron, a los que creen en su nombre, les dio potestad de ser hechos hijos de Dios.

Juan 1:12

Capítulo 3

LA SONRISA DE LAS DOS MUÑECAS

*E*l día 2 de julio de 1966 volví a aterrizar en el aeropuerto de Santo Domingo. Dios me enviaba de nuevo a ese amado país a predicar Su santo evangelio.

Meses antes el Señor me había hablado. Una noche mientras dormía, yo mismo decía: "Siento que iré este verano a predicar a Santo Domingo". Al terminar de hablar vi frente a mi persona, dos figuras semejantes a muñecas de juguete. Recuerdo que dije: "Si es cierto que voy para allá, que esas dos figuras se sonrían conmigo". Difícil que una muñeca se sonría, pero ante mis ojos los labios de las dos muñecas empezaron a desplegar una amplia sonrisa.

Por la mañana me levanté a orar. Todo lo de la noche anterior había desaparecido de mi mente. Según oraba de pronto vino a mi cerebro la experiencia nocturna con toda claridad y le grité al Señor: "Si esto es tuyo, confírmalo ahora". El Espíritu Santo descendió sobre mí y me envolvió en una bendición sobrenatural. Lloraba y sentía gozo profundo de saber que iría a predicar nuevamente a Quisqueya.

Pedí al Señor que me mostrara la fecha de salida. En esos días la revolución estaba en todo su apogeo y parecía imposible que se concertara la paz, pero en mi corazón yo sabía que Dios no se equivoca y que en el momento oportuno Él me enviaría.

Llegó el verano y le preguntaba diariamente al Señor, cuándo saldría. Dios nada me revelaba. La situación en Santo Domingo era aún muy peligrosa. Los días pasaron y tres semanas de junio habían transcurrido. Dios no me revelaba nada. Muchos me preguntaban para cuándo saldría. Yo estaba ya avergonzado de decirles que aún no sabía.

Acabándose ya el mes de junio no pude resistir más. Me arrodillé una noche y le dije al Señor: "Aquí estoy de rodillas y no me levanto hasta que tú no me hables y me digas cuándo salgo para Santo Domingo". Pasaron las horas y yo de rodillas clamando. Ya casi amanecía cuando de pronto ante mis ojos vi en visión una pesada puerta que se abría lentamente y oí el ruido de cadenas que rodaron por tierra. Grité: "Esa es la puerta que se abre para yo entrar a ese país. Señor, ¿cuándo salgo?" En forma muy clara el Señor me dijo: "El sábado". ¡Gloria a Dios! Apenas amaneció salí para el aeropuerto y saqué mi pasaje. Cuando mi avión aterrizaba en Santo Domingo salían las autoridades norteamericanas del país. El día antes acababan de instalar al presidente Balaguer y todo el ambiente estaba en calma. Las puertas estaban abiertas para predicar y llevar las buenas nuevas de salvación a un pueblo que había visto la sangre de miles de compatriotas correr por las calles. Dios sabía muy bien que ahora los corazones estarían abiertos para oír la bendita Palabra.

Cuando la tragedia y la muerte oprimen, los ojos de los hombres tienden a volverse hacia el Dios de la Paz. En Él está nuestra única esperanza de un mundo mejor.

¡Gloria a Dios en las alturas, y en la tierra paz,
buena voluntad para con los hombres!

Lucas 2:14

Como a las tres de la tarde llegué al hogar donde años antes me había hospedado. Me sentí decepcionado porque la hermana dueña del hogar había salido. Dos hermanas que no conocía me dijeron que ella había salido en labor misionera y probablemente no regresaría hasta tarde en la noche. Les dije: "Oren conmigo". Clamé a Dios diciendo: "Señor, do quiera esté tu sierva en esta ciudad tráemela, Tú sabes que la necesito para que me facilite alojamiento". Las hermanas se miraban extrañadas, pero apenas pasaron unos minutos cuando la hermana entró a la casa y me abrazaba en el amor del Señor. Luego me dijo emocionada: "Yo estaba lejos en la ciudad y no pensaba regresar; sentí de pronto una inquietud muy grande y algo me decía que tenía que regresar al hogar". ¡Aleluya, nuestro Dios vive! *"Pedid y se os dará"*.

Enseguida empecé a predicar. El primer gran culto fue en el Tabernáculo de la ciudad. Cuatro o cinco iglesias se reunieron en aquel lugar. Cuando llegué al templo no había luz eléctrica. Oré en el altar y le pedí al Señor: "Si Tú me has enviado permite que antes de que yo empiece a predicar la luz haya llegado". El pastor prolongó el devocional todo lo que pudo. Cientos de hermanos reunidos en aquella semi obscuridad alababan con gozo al Señor. Viendo que el tiempo avanzaba demasiado, el pastor no pudo esperar más y dijo: "Vamos a entregar al hermano de Puerto Rico, pero antes, hagamos una oración pidiéndole a Dios que traiga la luz eléctrica". Todos clamamos unánimes. Se elevó aquel clamor al cielo y cuando aún quedaban algunos orando empezaron a encenderse las primeras bombillas de la iglesia. El poder de Dios se movía como un viento confirmando Su obra.

Las primeras siete almas vinieron al Señor aquella noche y cuando oramos por los enfermos, un hermano salió corriendo fuera de la Iglesia a vomitar. Testificó luego que el demonio de enfermedad salió, vomitándolo de su cuerpo, y quedó completamente sano. Una hermana con un tumor en el vientre vio las manos de Jesús operándola y el tumor desapareció. ¡Gloria a Dios! ¡Él vive!

Empezamos la primera campaña en la capital con la Iglesia de Dios Inc. Todas las noches almas venían al Señor y enfermos eran sanados, pero el Espíritu me mostraba que había algo especial para lo que Él me había enviado. Un día el pastor de la campaña me dijo: "En San Cristóbal le esperan para unirse todas las iglesias y tener una campaña en el estadio". Según él me hablaba el Espíritu Santo me tomó. Lágrimas corrían por mi rostro y Dios me mostraba que esa era la misión principal para la cual me había enviado. Fui a San Cristóbal y organizamos la campaña con todas las iglesias.

Antes de comenzar en San Cristóbal pasé de la capital a Haina. Las iglesias se unieron y empezamos una gloriosa campaña de una semana. La primera noche un hermano con un dedo fracturado con astilla en el interior fue sanado y movía el dedo con libertad. Una hermana pidió la oración por un niño enfermo en su hogar con una infección en el oído. Al llegar a la casa la infección había desaparecido. No hay distancias para el Espíritu de Dios (Juan 11:40).

El último día de esta campaña tuvimos un culto para buscar el bautismo del Espíritu Santo. Veinte hermanos recibieron el poder de Dios. Una pareja de esposos lo recibió y las cabezas de uno y otro chocaban movidos por el Espíritu. Varias semanas después de esto regresé a Haina a despedirme de los hermanos. Me encontré al joven esposo y él me testificaba: "Desde el día que recibí el Espíritu Santo he ganado 13 almas para el Señor". Dios nos da el poder para que testifiquemos y demos fruto para Dios.

Hermano, ¿cuántas almas ha ganado usted en este año para Cristo? No olvide que:

Todo árbol que no dé buen fruto será cortado y echado al fuego.

Mateo 7:19

De Haina pasé a San Cristóbal para la campaña en el estadio. En las primeras tres noches, más de 100 almas habían venido al Señor. Milagros eran obrados por el poder de Dios y el pueblo acudía a la campaña. Como 1,000 personas venían noche tras noche a oír la Palabra de Dios. Una señora con una costilla suelta le fue colocada en su lugar por el poder de Dios y respiraba normal y se movía perfectamente.

Un joven contó que cuando niño se introdujo un palillo de dulce por un oído. Al empujarlo bruscamente se lastimó el tímpano y quedó completamente sordo. Hacía 17 años que no oía nada por ese oído. Dios le restauró el tímpano y oía perfectamente. Testificó durante la campaña y en el último culto recibió el bautismo del Espíritu Santo.

Una señora que padecía de un flujo blanco por 12 años testificó que durante la oración algo se desprendió y fue bajando de su cintura hasta que salió por sus piernas hacia afuera. Instantáneamente el flujo se detuvo.

Otra señora veía todo blanco. No distinguía colores. Para ella todos los árboles estaban muertos. Después de la oración gritó: "Veo el verdor de las hojas de los árboles". No hay nada imposible para Dios.

Todo este tiempo predicaba al mediodía por la radio, por la tarde en cultos de avivamiento por las iglesias, y por la noche en la campaña. Para orar tenía que esconderme debajo de un mosquitero debido a los mosquitos y bajo el terrible calor del verano me bañaba de sudor. Era una lucha intensa contra los poderes del diablo. Una juventud comunista invadía noche tras noche el estadio y se subían a la parte superior a interrumpir tratando de impedir que se escuchara. Pude haber llamado a la policía pero decidí mejor orar y clamar por ellos.

Llamé a los hermanos a ayuno y día tras día había un grupo ayunando. Hay poderes del diablo que no ceden si no es con ayuno y oración. Alrededor de las 5:00 A.M. ya estábamos en la Iglesia clamando. En ocasiones nos quedamos en la Iglesia después del culto y amanecíamos clamando en vigilia. No es con fuerza ni con ejércitos, sino con el Espíritu de Dios. Día tras día yo esperaba que Dios mostrara Su gloria a aquella juventud incrédula.

Pasaron casi dos semanas de campaña en el estadio y llegó la última noche. Había prometido orar por el bautismo del Espíritu Santo allí mismo en el estadio de pelota. Después del llamamiento, muchos estaban de pie en el terreno de juego frente a la tarima de predicación. Clamamos a Dios que derramara el Poder. El Espíritu descendió como una nube. Yo que estaba en una posición más alta, sentí cuando aquel Poder pasó sobre mi persona y cayó sobre los hermanos. Abrí los ojos y ya muchos habían caído de rodillas sobre la tierra llenos del Espíritu Santo. Otros hablaban en lenguas y algunos de los recién convertidos se movían en el Espíritu llenos de esa Gloria del Dios Altísimo. ¡Gloria a DIOS! ¡OH, PENTECOSTÉS, VUELVE OTRA VEZ!

Después de esta maravillosa bendición y cuando ya nos íbamos a marchar, alguien me llamó diciendo: "Ahí hay un joven temblando, no se puede mover. Mire a ver lo que le pasa". Vi que estaba bajo una poderosa bendición del Espíritu de Dios. Pedí que lo subieran a la tarima. Lo tuvieron que ayudar, pues no podía casi moverse. Apenas llegó a mi lado, vino corriendo una hermana y me dijo: "Ese es uno de los jóvenes que arriba en el estadio hace apenas unos momentos se oponía a todo lo que usted decía". El muchacho estaba frente a mí, los brazos muy pegados al cuerpo. Parecía que estaba atado por lazos invisibles. Su boca no callaba. Sin cesar decía: "Gloria a Dios, Gloria a Dios, Gloria a Dios", mientras dos chorros de lágrimas salían de sus ojos. Le pregunté: "¿Y ahora, cree usted?" Movió afirmativamente la cabeza. Le dije: "¿Desea aceptar a Cristo como Su Salvador?" Levantó muy alto su mano y lo recibió como Salvador personal. Era el último convertido de la campaña en el estadio. Alabado sea Dios. La juventud comunista pudo ver que Cristo vive, que Él es real y que el poder de Su Santo Espíritu se mueve como el viento por toda la tierra.

Amigo, reciba a Cristo como Salvador. Jesús dijo:

Os digo que todo aquel que me confesare delante de los hombres, también el Hijo del Hombre le confesará delante de los ángeles de Dios; mas el que me negare delante de los hombres, será negado delante de los ángeles de Dios.

Lucas 12:8-9.

Al otro día mientras iba por la calle a predicar el programa de la radio, me detuvieron unos jóvenes. Me dijeron: "Nosotros somos católicos, pero queremos que usted nos explique qué es lo que nosotros sentimos, nunca habíamos sentido esto". Les dije: "Es el Espíritu Santo que les muestra que sólo en el Evangelio está la VERDAD DE DIOS, que es CRISTO (Juan 14:6). Él les está llamando para que se arrepientan y se conviertan, pues estamos en el tiempo del fin y pronto será muy tarde (Hechos 3:19).

Antes de empezar la campaña en San Cristóbal, me dijeron: "Hermano, aquí se va la luz casi todas las noches; cuando suceda en el estadio será un gran problema". Sentí decirles: "En la campaña no se irá ni una noche". Gloria a Dios que en los 14 días no se fue ni una vez. La campaña terminó un domingo. El lunes se fue la luz y el martes volvió a irse como hasta las nueve de la noche. Gloria a Dios. *"Lo que dijeres creyendo que lo has obtenido, se os dará"* Marcos 11:24. ¡Bendito sea el Nombre del Señor!

Alrededor de un mes estuve esta vez en la República Dominicana. Más de 600 almas vinieron al Señor. Prediqué como 70 veces en ese tiempo. Más 60 recibieron el Espíritu Santo. Predicamos en el hospital de tuberculosos, en las calles y en los hogares. La mano de Dios estaba detrás de todo culto. En un hogar oré por una hermana adventista, estaba para ser operada. No tuvo que operarse. Me escribió a Puerto Rico dándome las gracias y enviándome una ofrenda de amor. Sólo Dios lo hizo y sólo Él es glorificado y digno de toda la alabanza.

En un culto de la tarde, muchos niños recibieron el Espíritu Santo. Me contaron que pocos días después, en un culto en dicha iglesia, el Poder levantó los niños y los movía por la congregación. Con los ojos cerrados y hablando en lenguas, tomaron a una joven y le dijeron: "Tú bailas ballet". La joven se lanzó a gritar al altar. A otro le dijeron: "Tú estás enamorado de una impía", y el joven llorando, corrió a humillarse al Señor.

> *Y en los postreros días, dice Dios, derramaré de mi Espíritu sobre toda carne, y vuestros hijos y vuestras hijas profetizarán; vuestros jóvenes verán visiones, y vuestros ancianos soñarán sueños.*

Hechos 2:17

Es el tiempo del fin. Los judíos han reconquistado la antigua Jerusalén. Cristo dijo que cuando viéramos esto, el tiempo de las naciones se habría cumplido (Lucas 21:24). Sólo nos queda un breve período de tiempo. Aprovéchelo y acepte a Cristo. Pronto la puerta se habrá cerrado.

Hermano, vele y ore más si quiere estar preparado y escapar de la Gran Tribulación (Lucas 21:30-32). Es tiempo peligroso, muchos se apartan de la fe y serán engañados por el diablo (1 Timoteo 4:1). Conságrese como nunca antes. Ore y ayune y busque la plenitud de Dios (Joel 2:12). Sólo cristianos llenos del Espíritu se irán con el Señor (Mateo 25:1-12). Que Dios bendiga vuestras almas y que muy pronto nos reunamos todos en las mansiones del cielo.

Y el Espíritu dice: "Ven. Y el que tenga sed venga; y el que quiera, tome gratis del AGUA DE LA VIDA".

PASOS A SEGUIR PARA SER SALVO

1. Recibe a Cristo como tu Salvador *(Juan 1:12)*.

2. Ven a Él arrepentido y confiésale tus pecados *(1 de Juan 2:1 y Hechos 3:19)*.

3. Pídele perdón por tus pecados *(1 Juan 4:10)*.

4. Prométele que te vas a apartar del pecado y pídele su ayuda *(2 Timoteo 2:19)*.

5. Ora diariamente a Él por tu salvación y por tu prójimo *(Lucas 21:36)*.

6. Lee la Biblia diariamente *(Juan 5:39)*.

7. Únete a una Iglesia donde puedas recibir el bautismo del Espíritu Santo y los Sacramentos instituidos por Cristo *(Hechos 2:3-4; 2:38; Marcos 16:16; Mateo 26:26-28)*.

LOS DIEZ MANDAMIENTOS

Éxodo 20:3-17

1. No tendrás dioses ajenos delante de mí.

2. No te harás imagen, ni ninguna semejanza de lo que esté arriba en el cielo, ni abajo en la tierra, ni en las aguas debajo de la tierra. No te inclinarás a ellas, ni las honrarás, porque yo soy Jehová tu Dios, fuerte, celoso.

3. No tomarás el nombre de Jehová tu Dios en vano.

4. Seis días trabajarás, y harás toda tu obra; mas el séptimo día es reposo para Jehová tu Dios.

5. Honra a tu padre y a tu madre, para que tus días se alarguen en la tierra.

6. No matarás.

7. No cometerás adulterio.

8. No hurtarás.

9. No hablarás contra tu prójimo falso testimonio.

10. No codiciarás la casa de tu prójimo, no codiciarás la mujer de tu prójimo, ni su siervo, ni su criada, ni su buey, ni su asno, ni cosa alguna de tu prójimo.

TEMAS IMPORTANTES PARA ESTUDIAR EN LA BIBLIA

1

SÓLO CRISTO SALVA

1 Timoteo 1:15 Único Salvador

Hechos 4:12 Un solo Salvador

Mateo 28:18 Un solo Poder

1 Timoteo 2:5 Único Mediador

Romanos 8:34 Único Intercesor

Hebreos 7:25 Único Intercesor

Juan 14:6 Un solo Camino

Juan 6:35 Él es el Pan de la Vida

Efesios 2:18 Un solo Camino

1 Corintios 8:6 Un solo Dios y Señor

Judas 4 Único Soberano

Juan 8:36 Único Libertador

Juan 1:12 Por Él somos hijos

1 Juan 2:1 Único Abogado

1 Corintios 2:2 Lo Único a saber

1 Corintios 3:11 Único Fundamento

Juan 3:16 Por Él no nos perdemos

Colosenses 3:11 Él es el Todo

Colosenses 3:17 Hacerlo todo en su Nombre

Hebreos 4:14 Nuestro Único Sacerdote

FUERA DE CRISTO NO HAY VIDA ETERNA

2

SALVACIÓN

Hechos 2:37 Arrepentíos y Bautizaos

Marcos 16:15 Por el Evangelio

Hechos 3:19 Arrepentíos y Convertíos

Lucas 2:8 Hacer profesión de fe pública

Mateo 10:32 Hacer profesión de fe pública

1 Timoteo 6:12 Hacer profesión de fe pública

Hechos 11:21 Convertíos a Cristo

Mateo 10:22 Perseverar hasta el fin

Juan 3:3-8 Nacer de Nuevo

Juan 5:39 Leer la Biblia

Gálatas 2:16 Por fe en Cristo

Efesios 2:8-9 Por fe, no por obras

Romanos 8:13 Vivir por el Espíritu

Lucas 21:36 Orar en todo tiempo

1 Juan 3:6 Permanecer en Cristo

Juan 14:21 Guardar sus mandamientos

Juan 15:2 Trabajar para Cristo

Lucas 13:3-5 Arrepentirse y convertirse o se
mueren

ARREPIÉNTETE Y VIVE PARA CR*ISTO*
NADIE MÁS PUEDE SALVARTE

3

SANTIDAD

DIOS NOS HA LLAMADO A SANTIDAD

1 Pedro 1:16 Sed Santos

1 Tesalonicenses 4:7 Exige santidad

Hebreos 12:14 Sin ella no verán al Señor

Efesios 5:27 Santidad en la Iglesia

Mateo 5:48 Sed perfectos

Colosenses 3:2 Cosas de arriba

2 Timoteo 2:19 Apartarse de iniquidad

Jeremías 2:5 Apartaos de vanidad

Romanos 8:13 Hacer morir las obras de la carne

1 Juan 2:15 No améis al mundo

Santiago 4:4 No améis al mundo

1 Corintios 11:14-16 Apariencia

1 Timoteo 2:9 Forma de vestir

1 Pedro 3:3 Adornos

Isaías 3:18-24 Adornos

Deuteronomio 22:5 Mujer vestida de hombre

SEAMOS LIMPIOS POR DENTRO Y POR FUERA

4

ADORAR Y CONFIAR SÓLO EN DIOS

Romanos 1:25 Al Creador y no a las criaturas

Romanos 3:4 Todo hombre mentiroso

Hechos 10:25-26 Pedro impide que lo adoren

Hechos 14:9-15 Pablo impide que lo adoren

Apocalipsis 22:9 Ángel impide adoración

Jeremías 17:5-7 Maldito el que confía en hombres

Isaías 42:8 Dios no comparte su gloria

Lucas 4:8 Adorar sólo a Dios

Salmo 118:8 Confiar en Dios, no en el hombre

Salmo 146:3 No confiar en hombres

Isaías 2:22 No confiar en hombres

Isaías 43:11 Sólo Dios salva

Mateo 6:6 Orar sólo a Dios (no a María, ni a muertos)

HAZ DE DIOS TU REFUGIO

5

SEÑALES DE QUE ERES UN CREYENTE

Marcos 16:15 Señales que nos dejó Cristo

Juan 14:12 Tienes poder de Dios

Gálatas 5:22 Los frutos del Espíritu

1 Corintios 12:7-11 Dones del Espíritu

2 Corintios 2:14-17 Si trabajas para Cristo

Romanos 8:14-16 Espíritu da testimonio

2 Corintios 5:15 Vives para Cristo

2 Corintios 5:17 Eres nueva criatura

Gálatas 6:8 Si rechazas los deseos de la carne

Gálatas 5:24 Han crucificado la carne con sus deseos

¿ERES TÚ UN CREYENTE?

6

IMÁGENES

Hechos 17:29 No tienen divinidad

Hechos 19:26 No tienen divinidad

Romanos 1:22-25 Es una necedad

Colosenses 2:20-23 Ni las toques

Éxodo 20:1-7 Los diez mandamientos

Deuteronomio 5:7-21 Los diez mandamientos

Isaías 44:9 Serán avergonzados

Deuteronomio 27:15 Dios las maldijo

Deuteronomio 4:15-16 Están corrompidas

1 Corintios 12:2 Ídolos mudos

Salmo 115:3-8 Como ellas te pondrás

NO LAS HAGAS NI LAS TENGAS ES IDOLATRÍA

7

ESPÍRITU SANTO

Juan 14:16-23 Él lo prometió

Juan 14:26 Nos lo enseñará todo

Hechos 1:8 Nos dará el poder

Hechos 2:3 Bautismo de Pentecostés

Hechos 2:33 Al recibirlo se ve y oye

Hechos 8:14-18 Se ve al recibirlo

Hechos 10:44-46 Señal de que lo has recibido

Hechos 19:2-6 Señal de las lenguas

Juan 7:37-39 Se siente al recibirlo

Juan 20:22 Jesús ordenó recibirlo

Efesios 5:18 Sed llenos de Él

Hechos 13:52 Sed llenos de Él

Hechos 11:15-16 Tenemos que recibirlo

TODOS DEBEMOS RECIBIRLO

8

EL BAUTISMO EN AGUA

Mateo 28:19 Mandato de Cristo

Marcos 16:16 Sacramento de vida

Hechos 2:38 Para perdón de pecados

Hechos 19:3-5 Hay que recibirlo

Hechos 8:35-38 Después de creer

Hechos 16:31-33 Después de aceptar a Cristo

Romanos 6:2-4 Sepultado en las aguas

Colosenses 2:12 Sepultado en las aguas

NO ES PARA NIÑOS, NI PARA
PECADORES SIN ARREPENTIMIENTO

9

LA SANIDAD DIVINA

Éxodo 15:26 Dios es el Sanador

1 Pedro 2:24 Por Sus llagas fuimos sanados

Salmo 103:3 Sana todas tus dolencias

Santiago 5:14 El Señor los levantará por la
oración

Mateo 8:17 Él llevó nuestras dolencias

Marcos 6:18 Los creyentes lo harán

Juan 14:14 Pedirlo en Su Nombre

Lucas 9:2 Cristo lo ordenó

Lucas 10:9 Cristo lo ordenó

3 Juan 1:2 Él desea que estés sano

1 Corintios 6:20 Glorifica a Dios en tu cuerpo

Hechos 10:38 Toda dolencia es del diablo

LA ORACIÓN DE FE SANA AL ENFERMO

10

ESPIRITISMO

Levíticos 19:31 No lo consultéis

Levíticos 20:6 Serán extirpados

Levíticos 20:27 Su sangre caerá sobre ellos

Deuteronomio 18:10-12 Es abominable

1 Crónicas 10:13-14 Por eso murió Saúl

Eclesiastés 9:4-5 Los muertos nada saben

Isaías 8:19-22 Serán sumidos en las tinieblas

Hechos 16:16:19 Son demonios que adivinan

ES OBRA DEL DIABLO

11

VENIDA DE CRISTO

Siete es el número profético que indica la totalidad en la obra de Dios. En siete días creó Dios el mundo. Seis días trabajó y en el séptimo descansó (2 Pedro 3:8). Han pasado casi 6,000 años de la creación del mundo. El próximo milenio, entramos en Su Reposo y Cristo estará reinando en la tierra con sus escogidos. Lee sobre estos eventos maravillosos próximos a ocurrir.

1 Corintios 15:51 El Rapto

1 Tesalonicenses 4:16 El Rapto

1 Corintios 15:22-23 Raptados por su orden

Apocalipsis 3:8-10 Los primeros rescatados

Apocalipsis 14:4 Los primeros rescatados

Apocalipsis 6:1-9 La gran tribulación

Marcos 13:24 Los últimos rescatados

Apocalipsis 7:9-14 Los últimos rescatados

Apocalipsis 8:9 y 11 Los juicios de Dios

Apocalipsis 20:4-5 El Milenio

TODO ESTÁ CUMPLIDO, CRISTO VIENE PRONTO

12

LA IGLESIA

Mateo 16:18 Cristo la instituyó

Romanos 16:16 Es de Él

Efesios 5:23 Es su Cuerpo

Colosenses 1:24 Es su Cuerpo

Efesios 1:22-23 Es su Cuerpo

Colosenses 1:18 Cristo es su cabeza

Hebreos 2:8 Todo sujeto a Él

Colosenses 2:8-10 Él es la cabeza

Hechos 4:11 Cristo es la piedra

Efesios 2:20-21 Cristo es la piedra

Romanos 9:33 Cristo es la piedra

1 Corintios 10:4 Cristo es la piedra

1 Pedro 2:4-8 Cristo es la piedra

Lucas 20:17 Cristo es la piedra

2 Samuel 22:2-3 Una sola roca

Efesios 5:27 Sin mancha ni arruga

Mateo 18:19-20 Cualquier congregación en Su Nombre

LA IGLESIA UNIVERSAL ES EL CUERPO DE CRISTO

13

IMPORTANCIA DE LA BIBLIA

Juan 5:39 Hay que estudiarla

Hechos 17:11 Para saber la verdad

Lucas 22:36 Esa espada es la Palabra

2 Timoteo 3:14-17 Desde la niñez

2 Pedro 3:18 Crecer en su conocimiento

Romanos 15:4 Para nuestra consolación

2 Corintios 4:2 No adulterarla

1 Corintios 4:6 No ir más allá de ella

Apocalipsis 22:18 No adulterarla

Deuteronomio 4:2 No alterarla

Proverbios 30:6 No alterarla

Eclesiastés 3:14 No alterarla

Lucas 24:32-45 Él nos hace entenderla

1 Corintios 15:3-4 Todo conforme a ella

Juan 14:26 Él te enseña todo

Marcos 12:24 Por no conocerla

Marcos 7:5-9 La Biblia, no la tradición

DEBES LEERLA DIARIAMENTE

14

PECADOS Y SU PERDÓN

Romanos 6:23 Su paga es muerte

1 Juan 3:8 El que peca es del diablo

Hechos 10:43 Perdonados por Cristo

Salmo 103:3 Sólo Él puede perdonar

Hechos 13:38 Perdonados por Cristo

Romanos 3:25 Por Su Sangre

Colosenses 1:13-14 Por Su Sangre

1 Juan 4:10 Sólo en Cristo

Hebreos 9:28 Cristo los llevó

Mateo 26:28 Por Su Sangre

Hebreos 9:22 Sin derramamiento de Sangre no
hay perdón

1 Juan 5:16 Orad por ellos

Hebreos 4:16 Orad sólo a Dios

Hebreos 10:11-12 El sacerdote no puede perdo-
narlos: Cristo sí.

Marcos 11:25 Sólo Dios puede

Marcos 2:7 Sólo Dios puede

Ezequiel 18:32 Si te conviertes

Salmo 130:4 Sólo en el Señor

Efesios 2:2 El diablo los hace pecar

SÓLO LA SANGRE DE CRISTO QUITA EL PECADO

15

TENEMOS UN ALMA

Job 32:8 Hay un espíritu en el hombre

Zacarías 12:1 El hombre tiene un espíritu dentro de sí

Mateo 10:28 Tenemos cuerpo y alma

1 Corintios 2:11 El espíritu del hombre está en él

1 Tesalonicenses 5.23 Tenemos alma, espíritu y cuerpo

Génesis 1:26 Dios nos hizo a Su semejanza. Tenemos una triple personalidad al igual que Él.

Hebreos 4:12 Tenemos alma y espíritu

Mateo 16:26 Es lo más importante

El alma y el espíritu forman nuestra personalidad espiritual que está dentro del cuerpo de carne. En la muerte se sale del cuerpo y pasa a la eternidad. Al paraíso o al infierno.

¿HACIA DÓNDE VAS TÚ?
SÓLO CRISTO SALVA
ENTRÉGATE A CRISTO Y SÁLVATE AHORA

16

LA MUERTE

Eclesiastés 12:7 El cuerpo vuelve al polvo y el espíritu a Dios

Santiago 2:26 El espíritu se aparta del cuerpo

1 Reyes 17:20-22 El alma sale del cuerpo

2 Corintios 5:8 Dejamos de vivir en el cuerpo

Filipenses 1:23 Si muere en Cristo se va con el Señor

Lucas 16:22 Si muere salvo los ángeles guían nuestra alma al paraíso

Lucas 16:23 Si muere condenado va al infierno

Apocalipsis 6:9-11 Los redimidos en el cielo hablan y los visten de blanco

Marcos 16:16 Unos mueren salvos y otros condenados

Apocalipsis 20:13 Los muertos en el infierno no salen hasta el juicio final. (Hades)

Apocalipsis 20:15 Los muertos que no están en el Libro de la Vida *pasan al lago de fuego y azufre por la eternidad. (Gehena)*

EN LA MUERTE SALES DEL CUERPO CON

SALVACIÓN O EN CONDENACIÓN

17

EL SÁBADO

Colosenses 2:16 Que nadie os juzgue por sábados

Gálatas 5:18 Los dirigidos por el Espíritu no están bajo la ley

Romanos 8:14 Los dirigidos por el Espíritu Santo, los tales son los hijos de Dios

Gálatas 2:21 Porque si por la ley se alcanza la justicia, entonces Cristo murió en vano

Mateo 12:5-8 Los sacerdotes en el templo no tenían que guardarlo. Mucho menos en Cristo que es la Iglesia

Marcos 2:27-28 Cristo es el Señor del sábado

Juan 5:18 Jesús no observaba el sábado

Juan 9:16 Jesús no observaba el sábado

Romanos 3:28 Somos justificados por la fe sin las obras de la ley

LA COMUNIÓN CONTINUA CON CRISTO ES EL DESCANSO DEL NUEVO TESTAMENTO

18

AYUNO

Jueces 20:26 Israel ayunó delante de Dios todo el día

1 Samuel 7:6 Israel ayunó y confesó su pecado delante de Dios

2 Samuel 12:16 David ayunó 7 días

Nehemías 9:1 Se reunían para ayunar

Jeremías 36:9 Promulgaron ayuno en presencia de Dios

Salmo 35:13 David ayunaba y oraba

Isaías 58:6 El ayuno es para desatar y romper los yugos del diablo

Mateo 6:16 Hay ayuno privado

Joel 2:15 Hay ayuno en asamblea

Mateo 9:15 Jesús estableció que sus discípulos ayunarían

Lucas 21:34 Cuidarnos de la glotonería

Marcos 9:29 Hay demonios que no salen si no es con ayuno y oración

Hechos 9:9 Pablo ayunó 3 días y fue lleno del Espíritu Santo

Mateo 4:1 Cristo ayunó 40 días y 40 noches

ES UN PRECEPTO DEL NUEVO TESTAMENTO PARA LOS CRISTIANOS

19

EL INFIERNO

Apocalipsis 20:13-14 Dará sus muertos para el Juicio Final

Apocalipsis 21:8 Los pecadores tendrán su herencia eterna en él (lago de fuego - Gehena)

Mateo 5:22 Para todo el que aborrece su prójimo

Mateo 8:12 Es una tiniebla para los desobedientes

Lucas 12:5 Teme a Dios que puede destruir tu alma en el infierno

Mateo 13:42 Todos los pecadores irán ahí

Mateo 18:8-9 Quita de tu vida todo lo que te pueda enviar al infierno

Mateo 22:13 Lugar de llanto y crujir de dientes

Mateo 24:51 Lugar para los hipócritas

Mateo 25:30 Lugar para los que no llevan fruto

Mateo 25:41 Estarán con el diablo y sus ángeles (Gehena)

Lucas 16:24 Es lugar de tormento y de sed

Salmo 9:17 Los malos irán ahí

Job 38:19 Hay un lugar de luz y uno de tinieblas. ¿Hacía cuál vas tú?

Proverbios 15:24 El lugar de salvación está hacía arriba y el de condenación hacia abajo

AHÍ VAN TODOS LOS QUE MUEREN EN PECADO

LOS QUE DICEN QUE NO HAY INFIERNO SON MENTIROSOS

LOS CREYENTES DE CRISTO SERÁN LEVANTADOS DE LA TIERRA ANTES DE QUE LOS JUICIOS CAIGAN

I. TIPOS EN EL ANTIGUO TESTAMENTO

Génesis 5:24 Enoc fue levantado al cielo por Dios

Génesis 7:10 Vino el diluvio pero, ya Enoc había sido levantado al cielo

Lucas 17:26 Cristo dijo que como fue en los días de Noé sería en los días de Su venida

2 de Reyes 2:11 Elías subido al cielo-Tipo del Rapto

2 de Reyes 2:24 Juicio sobre los jóvenes burlones. 42 despedazados.

Tipo de la grande tribulación que durará 42 meses (Apocalipsis 13:5). Hubo un juicio terrible sobre los jóvenes, pero antes Elías fue raptado - Primero un Rapto y después el JUICIO.

Ahora están a punto de caer los juicios de Dios por causa de la maldad, pero antes habrá un Rapto y los creyentes que andan con Dios como Enoc serán levantados. Los indiferentes se quedarán.

II. NUEVO TESTAMENTO

Mateo 3:12 Él recogerá el trigo en su granero y luego quemará la paja en fuego. Primero recoge

Lucas 21:34-36 Viene de repente UN DÍA TERRIBLE como un lazo. Pero los que estén firmes ESCAPARÁN

Apocalipsis 3:10 Viene HORA DE PRUEBA para todo el mundo, pero CRISTO LIBRARÁ los que guardan Su Palabra

Juan 14:2-3 Cristo nos llevará con Él. En esa forma nos librará

Apocalipsis 16:13-16 Antes de que ocurra la Tercera Guerra Mundial el Señor como ladrón nos llevará: ¿Cuándo?

Daniel 7:24-27 Nos dice que los ÚLTIMOS 7 AÑOS de esta edad son para Dios tratar con Israel. ANTES SU IGLESIA VUELA AL CIELO.

Zacarías 14:5 Cristo desciende a terminar la 3ra. Guerra Mundial y sus santos vienen con Él. Antes de la guerra los levantó.

III. ¿QUÉ HACER?

1 Tesalonicenses 5:23 Santificaos plenamente

Jeremías 6:16 Andad por la senda antigua